ISBN 978-2-211-04878-1
Première édition dans la collection *lutin poche* : mai 1998
© 1996, l'école des loisirs, Paris
Loi numéro 49 956 du 16 juillet 1949 sur les publications
destinées à la jeunesse : avril 1996
Dépôt légal : avril 2011
Imprimé en France par Mame Imprimeurs à Tours

Claude Boujon

Bon appétit
Monsieur Renard

lutin poche de l'école des loisirs
11, rue de Sèvres, Paris 6ᵉ

Monsieur Renard savoura
sa dernière bouchée de viande.
«Si je veux manger demain», se dit-il,
«je dois sans tarder partir à la chasse.»

Il sortit de chez lui et se mit à l'affût.
« Tu n'es vraiment pas un as du camouflage »,
lui dit une grenouille qui observait son manège.
Bien entendu aucun gibier sérieux
ne passa à sa portée.

Il alla plus loin,
courut deux lièvres à la fois,
perdit son souffle, n'attrapa rien.
« Je sais que ce n'est pas
la bonne manière de chasser »,
se dit–il, haletant et honteux,
« on nous apprend ça dès le berceau. »
« À la prochaine », cria le lièvre de droite.
« Bonjour chez vous », cria le lièvre de gauche.

Comme il faut bien se nourrir,
il continua sa chasse. Il s'attaqua
à une énorme montagne de viande
qui passait tranquillement dans un pré.
« Tu as les yeux plus gros que le ventre »,
lui susurra le ruminant en lui donnant
un bon coup de corne là où il faut.
Et Monsieur Renard s'envola.

Il planait, planait
et redoutait l'atterrissage.
« Alors, on bat le record du monde
du saut en longueur », ironisa
un corbeau spectateur de l'exploit.

Et crac, le renard volant s'écrasa au pied
du pommier où perchait l'emplumé.
« Ce n'est pas bien de se moquer
de celui qui tombe », fit-il remarquer
à l'oiseau ricaneur. « Tu ne sais même pas
à qui tu parles. Tel que tu me vois,
j'en ai vu et connu bien d'autres.»

J'ai goûté à l'hippopotame.

J'ai dégusté de la baleine.

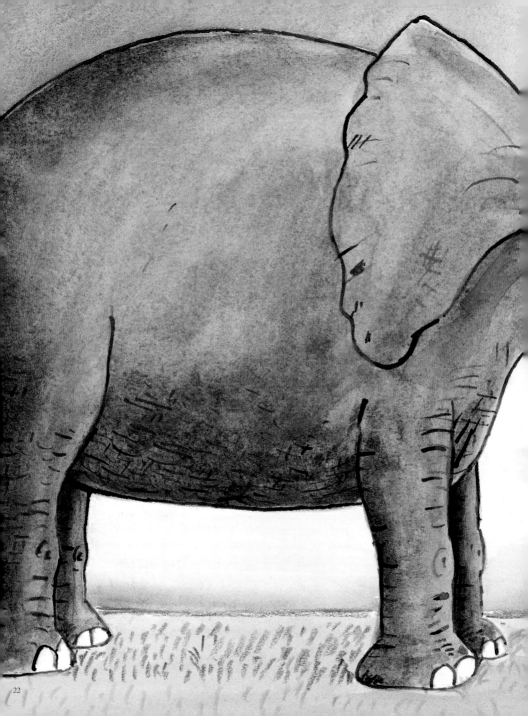

J'ai mordu
dans l'éléphant.

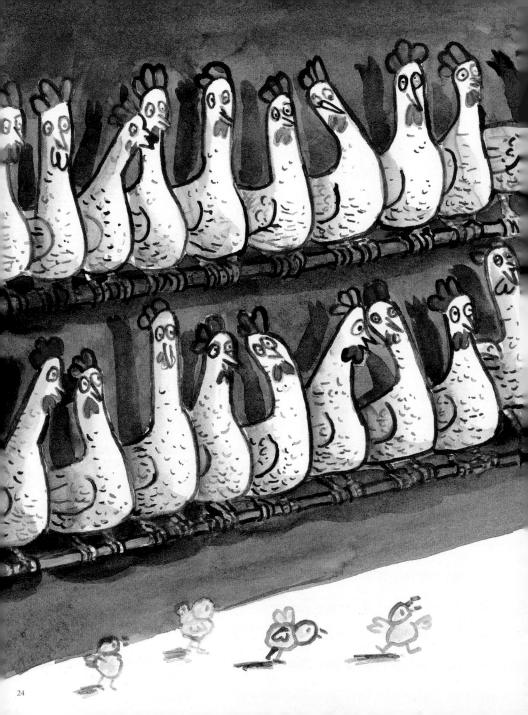

J'ai visité des milliers de poulaillers
où je n'étais pas invité.

Demain, j'en suis sûr,
je mangerai du lion.»

En lançant cette dernière vantardise,
Monsieur Renard se précipita sur le corbeau.
L'oiseau était sur ses gardes.
Il en avait vu d'autres lui aussi.
«Ce n'est pas aujourd'hui que tu mangeras
du corbeau», répliqua-t-il en s'envolant.

À cet instant, bang, une pomme tomba
sur la tête de Monsieur Renard.
« Qu'est-ce encore ? » se demanda-t-il.

Il ramassa le fruit,
d'où surgit un asticot.
«Bonjour, Monsieur le carnassier»,
dit le vermisseau gigoteur, «tu n'oserais
quand même pas me boulotter ?
Je n'en vaux pas la peine.
Je ne remplirais pas une dent creuse.»

En effet, Monsieur Renard n'osa pas s'intéresser
de plus près à ce piètre gibier. Il reposa le fruit,
en ramassa quelques autres sans locataires
et rentra chez lui.

Arrivé dans sa maison, il se fit cuire
une compote de pommes.
Une petite douceur n'a jamais fait
de mal à personne.
Bon appétit, Monsieur Renard.
Ça ira mieux demain.